MW00784351

COMO CONTROLAR LA IRA LIBRO DE TRABAJO

FUNDAMENTOS DEL CONTROL DE LA IRA

EDICIÓN ADOLECENTE

ANITA AVEDIAN
Terapeuta Familiar y Matrimonial
Especialista Certificada en manejo de ira-IV

INGRID CASWELL
Terapeuta Familiar y Matrimonial
Especialista Certificada en manejo de ira-III

ILUSTRADO POR GARYL B. ARNETA

EXPRESIONES DE GRATITUD

Muchas gracias a los que han contribuido a la creación de Fundamentos del Control de la Ira edición adolescente, especialmente al maravilloso y en constante desarrollo del equipo de Anger Management 818.

Nuestro agradecimiento a...

Arati Patel, por su contribución a la sección sobre el acoso escolar...

Gayane Aramyan, por formar y coordinar incansablemente las ilustraciones mientras trabaja simultáneamente para obtener la licencia de Terapeuta Matrimonial y Familiar...

Garyl B. Araneta, quien convirtió nuestros conceptos abstractos en imágenes de personas...

Bill Weiner, por fotografiar y diseñar nuestra portada con su firma pasión y humor...

Bryce Caswell, por el uso de su imagen y representación del desafío que es la adolescencia...

Sylvia Cary, por su sabia consulta en el camino a la publicación de libros ...

Kimberly Saldana, por la traducción...

Lourdes Saldana, por editar...

y a la Asociación de Proveedores de Manejo de la Ira de California (CAAMP) y la Asociación Nacional de Proveedores de Manejo de la Ira (NAMA), quienes han tomado la iniciativa de proporcionar, alentar y respaldar los estándares y la ética en el campo del manejo de la ira.

© Copyright 2020 Anger Management Essentials, Edición Adolescente en Español

No puede reproducirse ni transmitirse ninguna parte de este libro por ningún medio, incluyendo electrónica, mecánicamente o por fotocopias, sin el permiso por escrito del editor.

TODOS LOS DERECHOS RESERVADOS

ISBN-13: 978-0-9987333-3-3

Publicado por Anger Management Essentials Publishing

www.AngerManagamentEssentials.com

Diseño de Cubierta y Foto: Bill Weiner

ÍNDICE DE CONTENIDOS

¡Bienvenido a *Fundamentos del Control de la Ira, Edición Adolescente*!

Si tu estas leyendo esto, probablemente estas luchando contra la ira. Tal vez tu ira te haya costado mucha: libertad, autoestima, relaciones, oportunidades. Tal vez te sientas abatido y con dudas sobre si hay algo que puedas hacer para mejorar la forma en que manejas la ira. Muchos adolescentes se acercan a este libro de ejercicios con resistencia porque temen que sea una pérdida de tiempo. Más tarde, esos mismos adolescentes expresan sorpresa y gratitud de que estos ejercicios hayan cambiado su comportamiento y, como resultado, están obteniendo lo que quieren. Las herramientas y habilidades que aprenderá aquí le servirán no solo a lo largo de su adolescencia, sino también durante el resto de su vida. Lo guiarán para formar relaciones sólidas, satisfactorias y de por vida. Y lo más importante, te ayudarán a manejar las relaciones que son difíciles y menos gratificantes. No importa cómo se comporten los demás, estas habilidades te ayudarán a caminar por la vida como la persona que quieres ser.

Que Esperar

Para aprovechar al máximo este libro de manejo de la ira, debe practicar las habilidades entre grupos/sesiones. Venir a la clase, prestar atención e incluso compartir con su grupo no es suficiente para hacer un cambio real de comportamiento. Las habilidades que se enseñan en cada lección deben practicarse durante toda la semana, cada vez que se encuentre en una situación perturbadora. Luego regresa al siguiente grupo / sesión y habla sobre cómo usó la herramienta y cuál fue el resultado. El facilitador de su grupo lo capacitará para el mejor uso de estas habilidades haciendo preguntas como "¿Cómo lo hizo?" Y "¿Cómo podría haberlo hecho mejor?" Al igual que con el aumento de sus calificaciones, no es suficiente saber que necesita hacer la tarea y estudiar para los exámenes; ¡Tienes que hacerlo realmente!

Como Hacerlo

1. Comprometerse a hacer un cambio. Complete las lecciones en este libro de ejercicios y practíquelas diariamente.

2. Sé abierto. Sé consciente de tus propios pensamientos y sentimientos, nota los signos físicos de ira en tu cuerpo y acepta los comentarios de los demás.

3. Sea proactivo. Planee con anticipación para evitar situaciones que provoquen ira.

Repasar

Si está utilizando este libro de trabajo en un grupo que realiza el sistema de repasar, siga el formato a continuación. (Esta también será la estructura que utilizará para expresarse en la mayoría de los ejercicios de este libro y en su comunicación futura con la vida real con los demás).

1. Diga lo que sucedió (la situación perturbadora) en unas pocas (tres o cuatro) oraciones.

    Ejemplo: mis padres me dijeron que tenía que entregar mi teléfono a las 10PM en las noches escolares.

2. ¿Qué pensaste acerca de la situación? (¿Qué te dijiste que estaba pasando?

    Ejemplo: Quieren ser malos y controlar sin razón.

3. ¿Cómo te sentiste?

    Ejemplo: frustrado y sin esperanza.

4. ¿Qué hiciste (acción)?

    Ejemplo: me negué a llevarles mi teléfono a las 10 y me metí en un tira y afloja física con mi papá. Cayó al suelo y se hizo añicos.

5. ¿Qué te gustaría del grupo ahora? ¿Para simplemente escuchar? ¿O para darte tu opinión?

    Ejemplo: me gustaría saber qué piensan ustedes que podría haber hecho de otra manera.

¿Qué Sabes Tu Sobre La Ira?

¿Qué es Ira?

Ira es un **sentimiento** – una emoción poderosa y perfectamente normal. No lo confundas con la agresión. La agresión es un *comportamiento.*

La ira es una **señal** de que algo no está BIEN con nosotros y debemos cambiarlo. La ira debe expresarse para que obtengamos lo que necesitamos, pero hay formas útiles e inútiles de expresarlo.

Finalmente, la ira es **energía** – nos da confianza y motivación para tomar acción y hacer cambios positivos en nuestras vidas.

Observemos la ira saludable en acción: si un amigo llega media hora tarde para reunirse con usted en el centro comercial y se siente molesto, su ira es una señal de que llegar a tiempo es importante para usted. La ira te da la confianza de pedirle a tu amigo que te avise con anticipación si va a llegar tarde.

¿Qué le pasa a tu cuerpo cuanto estás enojado?
Unas posibilidades son: boca seca, latidos cardiacos rápidos, piel caliente, malestar estomacal, mandibular apretado, cuello rígido, rechinar los dientes, visión de túnel y tensión muscular.

¿Porque pasa esto?

Cuando pensamos que estamos siendo amenazados de alguna manera, la parte más antigua de nuestro cerebro, la amígdala, envía un mensaje a nuestro cuerpo para que nos preparemos para luchar o huir.

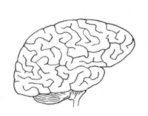

Esto se conoce como nuestra "Lucha o huida". Hace que el latido de nuestro corazón sea más rápido, nuestros músculos se tensan, etc. Prepara al cuerpo para *reaccionar* antes de que podamos *pensar*. La parte más nueva de nuestro cerebro, la corteza prefrontal, es nuestro "sistema de frenos". Es la parte de nuestro cerebro que dice "¿Espera si haces esto, que podría pasar? ¿Te arrepentirás? "La corteza prefrontal nos calma y nos da tiempo para tomar decisiones responsables. En los tiempos de cavernícolas, las personas que sobrevivían eran las que tenían la amígdala más fuerte – las que podían luchar o huir del peligro. Pero en la era moderna de hoy, ya no enfrentamos los tipos de amenazas a las que

se enfrentaban los cavernícolas. El problema es que nuestros cuerpos no han cambiado. Para sobrevivir, estamos naturalmente preparados para *reaccionar*

antes de *pensar* en las consecuencias de nuestras acciones. Estamos diseñados para luchar o huir, incluso cuando la situación a la que nos enfrentamos no es potencialmente mortal. Es por eso que nos enojamos tanto cuando alguien se nos pone enfrente en la fila, aunque en realidad no corremos ningún peligro.

El propósito de los ejercicios de manejo de la ira en este libro es entrenar a su corteza prefrontal - su sistema de frenos - para que se ponga en marcha inmediatamente después de que la amígdala se dispare para luchar o correr. De esta manera, puedes evitar hacer algo que te dañe a ti mismo o a los demás. Cuanto más practiques usando tus herramientas de control de la ira, más control tendrás sobre tu ira.

LLAMADA DE ACCION: Esta semana, hable con alguien sobre algo que haya aprendido de esta hoja de trabajo. ("¿Sabías que...?") Cuando le enseñas a alguien algo que acabas de aprender, fortaleces tu propio conocimiento.

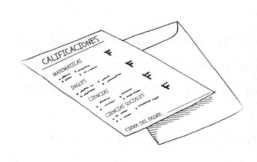

¿Alguna vez has tenido el objetivo de cambiar algo sobre ti, pero no tienes interés en hacer el trabajo necesario? Tal vez quieras perder peso, pero no estas listo para reducir calorías. Tal vez quieras mejores calificaciones, pero no estás dispuesto a pasar menos tiempo jugando videojuegos para estudiar.

Cuando estamos luchando con la motivación, puede ser muy útil identificar las razones por las que queremos hacer cambios. Pregúntese, "¿Cómo sería diferente si hiciera este cambio?" o "¿Que sería diferente en mi vida?" Antes de comenzar este programa, evaluemos su nivel de motivación y las razones para querer cambiar. Le ayudara a sentirse más abierto a la información en este libro de trabajo.

Para comenzar, enumera a continuación tus razones para querer cambiar. Cuando se trata de ira, las personas generalmente quieren cambiar debido a un incidente doloroso que les causó problemas. ¿Cuáles son tus razones para querer trabajar en tu ira ahora? ¿Cómo sería la vida diferente si estuvieras más tranquilo?

1. _____

2. _____

3. _____

En una escala del 1 al 10, 10 está muy motivado y 1 está completamente desmotivado, ¿cómo calificaría su nivel de motivación para trabajar en su enojo? Circula.

1   2   3   4   5   6   7   8   9   10

En una escala del 1 al 10, 10 es el que está más dispuesto y 1 no estás dispuesto a hacerlo, ¿qué tan dispuesto está a cambiar sus reacciones cuando se enoja? (Sugerencia: esta pregunta se refiere a la probabilidad de que usted haga el trabajo necesario para cambiar). Circula.

1   2   3   4   5   6   7   8   9   10

Trabajar en su ira es un proceso continuo. Recuerde que una buena estrategia para ayudarlo a mantenerse motivado es recordarse a sí mismo todas las razones por las que desea estar tranquilo, conectado a tierra y tener el control de sí mismo.

Algunas razones comunes por las que las personas quieren trabajar en su enojo incluyen:

1. Mi ira asusta a los estudiantes de mi escuela y no quiero asustar a la gente.
2. Recibo comentarios de los maestros en mis calificaciones que mi comportamiento es deficiente. Es hora de hacer un cambio.
3. Podría ser aceptado en la universidad de mi elección si me esfuerzo por controlar mi estrés y estar más relajado.
4. Cuando aprenda a expresarme de una manera más calmada, obtendré mejores respuestas de las personas.

Haga una lista de las ventajas de estar más tranquilo y comprensivo en la siguiente sección:

1. _____
2. _____
3. _____

Agregue a esta lista cuando piense en ventajas adicionales. Ayuda tener esto en tu aplicación de notas en tu teléfono para que la lista esté disponible para leer cada vez que estés luchando con la motivación

LLAMADA DE ACCION: Lea su lista de **Ventajas para Trabajar en Mi Ira** diariamente durante el próximo mes. Te ayudará a cambiar tu enfoque y entrar en una mentalidad más positiva. En los días que lea esta lista, es posible que tenga una mejor actitud hacia las personas que lo rodean y la vida en general.

La Ira Es Una Mascara

Aunque es posible que no nos demos cuenta, sentimos emociones vulnerables, como miedo y tristeza, en el momento justo antes de que experimentemos la ira. Estos sentimientos vulnerables se llaman "emociones primarias" y pueden ser muy difíciles de tolerar. La ira a menudo aparece como una forma de ocultar la ansiedad, el dolor, la impotencia, la vergüenza y la humillación. Pasamos directamente por alto nuestras emociones primarias y vamos directamente a la ira porque nos ayuda a sentirnos menos vulnerables.

Aquí hay un ejemplo: digamos que alguien pone adelante de usted en la fila del almuerzo. Puedes sentirte humillado o "amenazado" (se aprovechan de usted frente de otros). La humillación saldrá primero. Entonces la ira aparecerá en segundo lugar para cubrir el dolor de la humillación. La humillación es la emoción natural de primer nivel en respuesta al sentimiento de amenaza. La ira es la respuesta protectora secundaria.

¿Qué pasa contigo?

1. Recuerda un incidente pasado cuando te sentiste enojado. Resumir en dos o tres oraciones.

_____

_____

_____

2. ¿Qué te molesta de la situación?

_____

3. ¿Es posible que sintieras algo antes de la ira? ¿Dolor, vergüenza, miedo, etc.? ¿Qué emoción ocultaba tu máscara de ira?

_____

¿Ahora qué?

Ahora que sé qué emoción dolorosa está cubriendo mi ira, ¿qué hago con ese sentimiento? La gente nos escucha mejor cuando comunicamos nuestras emociones vulnerables. Su siguiente paso es comunicar sus sentimientos vulnerables a alguien involucrado en un incidente perturbador. (Esto no es seguro para todos. Necesitará decidir quiénes son las personas en su vida que pueden manejar problemas delicados y quiénes son los que no.)

LLAMADA DE ACCION: La próxima vez que se enoje, preste atención a la emoción que su ira está escondiendo. Si ha determinado que esta es una persona segura para compartir, comunique esta emoción a esa persona. (Las habilidades de comunicación serán cubiertas en una lección separada).

Manteniendo El Control De Mi Ira

¿Alguna vez has notado que la forma en que manejas una situación no te da lo que quieres? A veces es imposible obtener ciertas cosas de ciertas personas porque simplemente no tienen para dar. Pero hay otras ocasiones en que nuestro propio comportamiento es el que nos impide obtener lo que queremos. La buena noticia es que, si somos la causa del problema, también podemos ser la solución. El seguimiento de sus episodios de enojó después de que hayan sucedido pone los eventos en perspectiva para que pueda tomar decisiones diferentes en el futuro. Veamos como rastrear episodios de enojo.

Situación 1:

1. ¿Qué paso? *No me invitaron a una fiesta.*

2. ¿Qué es lo que querías que pasara? *Yo quería ser invitado.*

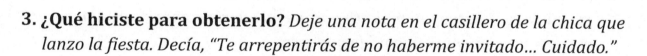

3. ¿Qué hiciste para obtenerlo? *Deje una nota en el casillero de la chica que lanzo la fiesta. Decía, "Te arrepentirás de no haberme invitado... Cuidado."*

4. ¿Obtuviste lo que querías? Si No Algo

5. ¿Qué paso después de que hiciste eso (#3)? *La persona descubrió que deje la nota en su casillero y se lo conto al director. Fui expulsado de la escuela.*

6. ¿Alguien se lastimo físicamente? Sí <u>No</u> **¿Emocionalmente?** <u>Si</u> No **¿Si, si cómo?** *La persona probablemente se sintió asustada y amenazada cuando recibió la nota. Me sentí humillado porque todos en la escuela descubrieron la nota y mi expulsión.*

7. ¿Que podría haber hecho de manera diferente para obtener lo que quería (#2)? *Podría haber preguntado si podría ir a la fiesta. O podría haber planeado mi propia noche divertida con personas con las que me gustaría estar.*

<u>Situación 2:</u>

1. **¿Qué paso?** *Mi novia estaba hablando con un chico en la escuela.*

2. **¿Qué es lo que querías que pasara?** *Quería sentirme importante para ella.*

3. **¿Qué hiciste para obtenerlo?** *Le dije que no podía hablar con otros chicos.*

4. **¿Obtuviste lo que querías?** *Si   No   Algo*

5. **¿Qué paso después de que hiciste eso (#3)?** *Ella me dijo que soy ridículo y rompió conmigo.*

6. **¿Alguien se lastimo físicamente?** Sí   <u>No</u> **¿Emocionalmente?** <u>Sí</u>   No **¿Si, Si cómo?** *Estoy tan molesto porque no quería romper con ella. La extraño y realmente lamentó lo que hice.*

7. **¿Que podría haber hecho de manera diferente para obtener lo que quería (#2)?** *Pude haberle hablado sobre mis sentimientos y haberle dicho lo que necesitaría para sentirme importante en la relación. Pude haber hablado de ello con un amigo y conocer su opinión sobre la situación. Podría haber mirado las razones reales por las que me sentía inseguro y haber trabajado en mi propia autoestima.*

LLAMADA DE ACCION: Complete el siguiente registro de ira cada vez que tenga un episodio de enojo. Puede hacer tantas copias del registro en blanco como necesite, o puede pedirle copias a su consejero.

Registro de Ira

Fecha de hoy: _____   Fecha del incidente: _____

1. Que paso?

_____

_____

_____

2. ¿Qué es lo que quieres que pase? (Esta respuesta debe identificar una necesidad vulnerable. Por ejemplo, la necesidad de ser escuchado, cuidado, especial, importante).

_____

_____

3. ¿Qué hiciste para obtenerlo?

_____

_____

4. Obtuviste lo que querías?   Si   No   Algo

5. Qué sucedió después de que hiciste eso (#3)?

_____

_____

6. ¿Alguien se lastimó físicamente?   Sí No
   ¿Emocionalmente? ¿Si   No   Si escogiste Si, como?

_____

_____

7. ¿Qué podría haber hecho de manera diferente para obtener lo que quería (#2)?

_____

_____

¿Qué Te Molesta?
Situaciones que provocan la ira, la molestia, e irritación

¿Listo para ver lo que realmente te desencadena? Si una situación a continuación no le molesta en absoluto, escribe un 0 en la línea que este al lado. Si te molesta un poco, escribe 1. Si te molesta cuando sucede, escribe un 2. Escribe un 3 si realmente te frustra.

0- No provoca   1- Molesta poco   2- Molesta a veces   3- Molesta Siempre

Situaciones Generales
__ 1. Cuando las personas presumen, nombran a otros o "actúan" por otros
__ 2. Pequeño ladrón, como bolígrafos y lápices
__ 3. Alguien metiéndose delante de ti en fila.
__ 4. Personas cuales no aceptan un "No" por respuesta
__ 5. Masticar chicle fuerte
__ 6. Personas que hablan mucho
__ 7. Personas que mienten
__ 8. Personas chismosas

Teléfono
__ 1. La pantalla del celular se rompe
__ 2. Alguien quiere obtener tu contraseña
__ 3. El teléfono no trabaja bien
__ 4. Se te olvido cargar el teléfono
__ 5. Le prestas el cargador a tu amigo y te lo regresa dañado.

Redes Sociales
__ 1. Personas que se reúsan a aprender de la tecnología nueva
__ 2. Personas que suben cosas falsas sobre otras personas
__ 3. Alguien sube y te etiqueta en una foto sin tu permiso
__ 4. Viendo fotos de tus amigos divirtiéndose sin ti
__ 5. Viendo en las redes sociales que tu ex está en una relación
__ 6. Personas que comparten mucho de ellos por la atención

___ 7. Catfishing (creando una identidad falsa)

___ 8. Alguien acechándote en las redes sociales

___ 9. Ser acosado en las redes sociales

___ 10. Alguien video grabándote sin tu permiso y subiéndolo a las redes sociales

___ 11. Personas constantemente revisando tus redes sociales

Financiero

___ 1. Amigos que te sugieren restaurantes que tú no puedes pagar

___ 2. Perdiendo tu cartera, tarjetas de banco, celular, etc.

___ 3. No poder pagar un viaje que tus amigos irán

___ 4. Siendo estafado

___ 5. No poder pagar la ropa que todos los demás se ponen

___ 6. Saliendo con amigos que no pagan suficiente para cubrir la cuenta

___ 7. Obteniendo una multa de tránsito por llegar dos minutos tarde al parquímetro

___ 8. Prestándole dinero a un amigo y no te devuelve el dinero

Relaciones

___ 1. Personas que hablan de otros a sus espaldas

___ 2. Personas falsas

___ 3. Personas que no cumplen con sus palabras

___ 4. Un amigo saliendo con tu ex

___ 5. Personas que tienen "agendas ocultas"

___ 6. Tu pareja engañándote

___ 7. Tu pareja hablando con alguien de sexo opuesto

Familia

___ 1. Padres estrictos

___ 2. Padres que no lo entienden

___ 3. Padres que dicen "No" a todo

___ 4. Hermanos que molestan

___ 5. Miembros de la familia con problemas de alcohol o otras drogas

___ 6. Familiares gritando y peleando

___ 7. Mama/Papa revisando mi diario

___ 8. Mama/Papa revisando mis redes sociales

___ 9. Miembros de la familia no tocan la puerta antes de entrar a mi habitación

___ 10. Los padres no están tan involucrados como te gustaría

Manejando/ relacionado a un coche

___ 1. Tailgating (Manejando muy cerca del otro vehículo)

___ 2. Agresivos o presumidos al manejar

___ 3. Personas que hablan por teléfono mientras conducen, incluso cuando es ilegal hacerlo

___ 4. Un conductor envía mensajes de texto durante la luz roja y no se da cuenta cuando la luz se pone verde

___ 5. Mujeres maquillándose mientras manejan

___ 6. Personas comiendo mientras manejan

___ 7. Siendo un pasajero en un carro con un conductor imprudente

LLAMADA DE ACCION: Ahora que estas más consciente de las cosas específicas que te molestan, observa esta semana si tienes un poco más de paciencia con ellos. La simple toma de conciencia puede hacer mucho para reducir la frustración.

¡Relájese! Consejos Rápidos Que Ayudan

Vivimos en un mundo acelerado. Parece que casi todos los días aparece una nueva tecnología para resolver un problema. Por lo tanto, tiene sentido que cuando tengamos dolor emocional, lo queremos aliviar de inmediato. Aquí hay algunos consejos rápidos para calmarlo cuando está empezando a enojarse.

1. Aléjate: Cuando las cosas se calienten, vete. Estar cerca del gatillo de tu ira solo lo intensificará. Cambiar la escena interrumpe el secuestro del cerebro de la amígdala y evita que empeore la situación. Irse le da tiempo para pensar racionalmente cuál será su próximo movimiento.

2. Cuente hasta diez: el conteo interrumpe la emoción. La emoción se maneja en el hemisferio derecho del cerebro, mientras que la lógica se maneja en el hemisferio izquierdo (teoría originada por Roger W. Sperry). Cuando cuentas, comprometes el lado izquierdo y lógico de tu cerebro, y el lado derecho y emocional se desactiva. El acto de contar también aleja tu atención de tus pensamientos de enojo y ganas un tiempo valioso para refrescarte antes de decir o hacer algo de lo que te   arrepentirás...

3. Respire con intención - Conscientemente respire profundamente por al menos tres o cuatro minutos. Asegúrate de respirar en tu diafragma y no en tu pecho. Coloque su mano sobre su estómago mientras respira. Si su estómago se mueve hacia atrás y hacia adelante cada vez que respira, lo está haciendo correctamente. (Su pecho no debe subir ni bajar. Es una respiración superficial, y aumenta la ansiedad).

Consejo adicional: cuente y respire al mismo tiempo: inhale por un conteo de cuatro (estómago afuera); exhale por un conteo de ocho (estómago adentro). Esto desencadena el sistema nervioso parasimpático, que es responsable de la relajación de su cuerpo.

4. Liberación de tensión - Use bolas de tensión para descargar la tensión. La ira se manifiesta físicamente y los ejercicios de liberación de tensión ayudan a tu cuerpo a soltar la energía no productiva. Aumentan la relajación y disminuyen la probabilidad de estallidos de ira.

a. Relajación muscular progresiva: relaje los músculos con un proceso de dos pasos. En primer lugar, tensar intencionadamente un grupo muscular por un conteo de cinco, luego libérelo. Por ejemplo, manos: hacer puños y pretender que estás exprimiendo limones. Aprieta tan fuerte como puedas. ¡No dejes una gota de jugo! Luego suelta. Cuello y hombros: imagina que eres una tortuga asustada que hundes la cabeza en tu caparazón. Aprieta los hombros hasta las orejas tan alto como puedas, luego suelta. Estómago: imagina que estás acostado de espaldas y un elefante está a punto de pisar tu estómago. Tense su estómago tan fuerte como pueda para que no se aplaste, luego suelte. A medida que libera la tensión, observe cuán suaves y pesados se sienten sus músculos. Repita el ciclo de tensión / liberación tres veces para cada grupo muscular. Este ejercicio reduce su nivel de estrés general.

5. Habilidades de relajación: además de los ejercicios de respiración y liberación de tensión, utiliza la visualización y la meditación para relajarte.

a. Visualización: imagínese en un ambiente relajante, como sentarse en la playa mientras los rayos del sol lo calientan.

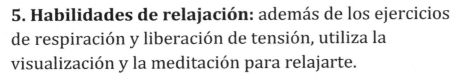

b. Meditación: observe cómo van y vienen sus pensamientos sin reaccionar ante ellos. Encuentre un lugar tranquilo para sentarse, o quédese donde está si no puede irse, y observe cada pensamiento que le viene a la mente. Puedes imaginar que estás leyendo el pensamiento como pasa por una pantalla digital giratoria. O puedes imaginar poner el pensamiento en un globo de helio y verlo desaparecer en el cielo. Si sentarse quieto es un desafío para usted, haz una meditación caminando. Camine por un vecindario familiar o una pista para no tener que prestar mucha atención a su ruta. La meditación es un ejercicio muy básico, ya sea que lo hagas por un minuto o una hora.

6. Escucha Música – Tu música favorita puede calmarte y ponerte de mejor humor.

7. Ejercicio – La actividad física reduce la ira. Saque su frustración en su bicicleta o el pavimento mientras corre. El ejercicio libera endorfinas, "hormonas felices", que elevan el estado de ánimo y reducen la percepción del dolor.

NOTA: Golpear los sacos de boxeo o otros objetos puede ser útil para las personas que se vuelven pasivas cuando están enojadas. Sin embargo, esta actividad aumenta la adrenalina y refuerza el comportamiento agresivo en personas que ya luchan con la hostilidad física.

LLAMADA DE ACCION: Elija un consejo rápido que se comprometerá a probar esta semana.

Tiempo De Reflexionar

Todos hemos estado allí: perdiste la calma y sabes que no era una buena forma de lidiar con la situación. Te sientes mal, pero piensas, "No hay nada que pueda hacer al respecto ahora". Bueno, sí y no. Es cierto que no puedes retroceder y cambiar el pasado. Pero puedes tomar medidas que puedan afectar su futuro al presentarse a un próximo conflicto de forma diferente. Un paso esencial para cambiar su comportamiento es reflexionar (o mirar atrás) en lo que sucedió durante un episodio de enojo. Cuando reflexionamos sobre lo que sucedió y cual fue nuestra contribución al problema, condicionamos nuestros frenos para detener el mal comportamiento más rápido. La próxima vez que nos encontremos en una situación calurosa veamos algunas técnicas de reflexión.

1. **Escríbelo–** Escribir es una forma segura de expresar y liberar emociones incomodas.

    a. **Diario:** Hay muchos estilos de diario. Algunas personas usan la escritura de estilo libre para expresar todos sus pensamientos y sentimientos en papel, sin ningún orden en particular. Este estilo de escritura es una buena opción cuando tienes emociones extremas que serían destructivas para expresarle a una persona. Una forma más estructurada de hacer un diario es dividir la entrada en tres partes:

    Parte 1: En esta primera sección, libera tu ira o frustración escribiendo sobre cómo te sentiste y cómo te comportaste. Esto puede parecer destructivo, pero dejar tus pensamientos en *papel* y *fuera* de ti es en realidad muy curativo.

    Parte 2: Luego, procesa y reflexiona. Responda preguntas como "¿Qué significa esto para mí?" "¿Que diría mi amigo sobre esto?", "¿Que dije o hice para empeorar la situación?" y "¿Que tengo miedo de que suceda?"

Parte 3: Finalmente, establezca metas para la próxima vez y elabore un plan de acción. ¿Cómo me gustaría cambiar mi comportamiento? ¿Cómo beneficiaria eso en mi relación? ¿Cuál es mi plan para hacer este cambio? ¿Cómo lidiare con obstáculos en el camino para cambiar mis hábitos?

b. **Escribe Cartas:** Escribe una carta a alguien con quien estés molesto. Esta **NO** es una carta que se enviara. (Lo mejor es escribir en papel o en un documento en la computadora y no en un correo electrónico. Ya que presionar accidentalmente "Enviar" podría empeorar la situación). Di todo lo que quieras en la carta. puedes usar frases como "me duele mucho cuando...", "ojalá..." y "todo lo que realmente quería era...". Esta puede ser una experiencia liberal.

2. Auto discursó positivo – Revise una lista de afirmaciones. Cuando diriges tu atención a las verdades positivas, invitas a sentimientos agradables. La ira crea energía negativa en tu cuerpo. Use la auto conversación positiva para contrarrestarlo:

a. "Estoy en el asiento del conductor."
b. "Estoy aprendiendo a lidiar con mi ira."
c. "Esto es temporal. Estoy enojado ahora, pero cuando me calme, podre entender mejor esta situación."

3. Hable con Alguien en Quien Confié – Llame a alguien que sea seguro y comprensivo. Esta persona es un buen oyente y ofrece comentarios útiles.

4. Use el Humor – Pregúntese, "¿Qué tiene de gracioso esta situación?" Aprenda a reír. Encuentra el humor incluso en los momentos más oscuros. Mire una película divertida o un programa de televisión.

LLAMADA DE ACCION: Esta semana, elija una técnica de reflexión con la que pueda comprometerse a usar.

¿Cuál Es Mi Estilo De Comunicación?

¿Alguna vez te has preguntado como una conversación puede volverse fea realmente rápido? Tal vez digas una cosa, o no digas una cosa, y lo siguiente que sabes es que estas peleando con alguien. Es muy fácil que esto suceda cuando una o ambas personas no usan un estilo de comunicación asertivo. Si su estilo de comunicación no es asertivo, entonces es pasivo, agresivo o pasivo-agresivo, y ninguno de estos tres estilos le dará lo que quiere.

¿Qué significa ser pasivo, agresivo, o pasivo-agresivo? Lea las siguientes descripciones y vea que estilo tiende a usar:

Pasivo– Tú no hablas, incluso si algo te molesta, lo retienes en decir. La gente no te entiende y no satisfaces tus necesidades.

Agresivo – Tú hablas y actúas de una manera que lastima a los demás. Gritar, maldecir, insultar, y volverse físico son todos los ejemplos de comportamiento agresivo.

Pasivo – Agresivo –Tú muestras cómo te sientes en lugar de decir cómo se siente. Alguna vez a cruzado los brazos hacia su pecho, y alguien te pregunto, "¿Qué pasa?", tú dices, "¿Nada?" Eso es la agresión pasiva. El sarcasmo es otro ejemplo de agresión pasiva. Alguien llega tarde a un grupo de estudio y tú dices: "Oh... que bien que te unas a nosotros". Eso es pasivo agresivo. Creemos que estamos siendo "agradables" al mantener las cosas "ligeras" y no decir lo que realmente sentimos. Pero al final, la otra persona puede darse cuenta de que estas

molesto. Cuando intentamos ligerear las cosas con sarcasmo, enviamos señales mixtas y complicamos las cosas.

Asertivo – Exprese sus pensamientos y sentimientos con respeto, aunque a la gente no le guste lo que tiene que decir: "La próxima vez que llegue tarde, me gustaría que me llamaras o me escribieras un mensaje." Si lo dices en manera calmada y educada, reduces las posibilidades de pelear.

Aunque podríamos usar diferentes estilos de comunicación en diferentes momentos, generalmente hay uno que usamos con más frecuencia que otros.

¿Cuál es tu estilo de comunicación?
_____

¿Dónde aprendiste a usar este estilo?
_____

¿Cómo te ayuda este estilo?
_____

¿Cómo te afecta este estilo?
_____

¿Qué te han dicho otros sobre tu estilo?
_____

LLAMADA DE ACCION: Esta semana, presenta atención a cómo te comunicas con los demás. Quizás te comuniques de manera diferente con tu familia y tus amigos. ¿Eres pasivo? ¿Agresivo? ¿Pasivo agresivo? ¿Asertivo? Exprese sus necesidades de manera calmada y educada mejorara sus interacciones con los demás.

¿Estas escuchando?

Todos estamos hablando acerca de cómo comunicar los pensamientos y sentimientos a los demás. Ahora hablemos de algo igualmente importante: escuchar. ¿Cómo sabe alguien que los estás escuchando? ¿Cómo puedes saber si alguien te está escuchando? Cuando necesitas hablar con alguien sobre un problema privado, ¿buscas a ciertas personas más que a otras? ¿Te has preguntado alguna vez por qué? Lo más probable es que sea porque son buenos oyentes activos.

Aunque puede ser útil obtener apoyo de alguien que no está en una situación difícil, a veces la única forma de resolverlo es hablar directamente con la persona con la que estás molesto. Las conversaciones entre personas que tienen un conflicto continuo pueden ser complicadas, pero si ambos pueden aparecer como buenos oyentes, tienes la oportunidad de resolver sus problemas con mínima frustración.

Use las siguientes técnicas de escucha activa para convertir una conversación importante de destructiva a productiva.

HABITOS DE ESCUCHA ÚTILES

1. **Aliente a la persona a hablar**: *"Pareces molesto. ¿Quieres hablar de eso? A veces, hablar ayuda".*

2. **Permitir Silencios**: Incluso si el hablante hace una pausa, no interrumpa. Déjelos juntar sus pensamientos o tener el valor de decir algo que han estado conteniendo.

3. **Reafirme:** Verifique con la persona para asegurarse de que entiende lo

que significa. *"Entonces lo que estás diciendo es que herí tus sentimientos cuando no te llame. ¿Estás Bien?"*

4. **Reflexione:** Repita algunas de las emociones que la persona está tratando de expresar. *"Parece ser que sientes que tu amigo se está aprovechando de ti".*

5. **Reconozca y valide:** Haga saber a la otra persona que comprende lo que siente: *"Tiene sentido que estuvieras molesto cuando no asistí a tu fiesta".*

6. **Comparta y auto divulgar:** Comparta sentimientos y experiencias similares que haya tenido. Esto puede consolar al orador al hacerles saber que no están solos o "locos". Tenga cuidado de no cambiar la conversación. El enfoque permanece a la otra persona; solo hazles saber que has "estado allí".

7. **Interpretar:** Ofrece interpretaciones alternativas por lo que la persona está molesta. "¿Es posible que ella no te haya visto cuando pasaste?"

8. **Señale las consecuencias:** Si la persona esta emocionalmente preparada para ver cómo pueden estar agrandando un problema, ayúdelo a ver su parte. Sea amable y gentil, no los ponga a la defensiva. "Cuando le gritas a tus padres, ¿terminas obteniendo lo que quieres?"

9. **Redirigir:** Si hablar enoja o irrita más a la persona, puede ser una señal de que es hora de cambiar de tema o continuar la conversación en otro momento.

10. **Resumen:** Dibujar la conversación hasta el final al decidir un objetivo y haciendo un plan. "Cuando quieres elevar tu grado de algebra, ¿qué haces? ¿Preguntas a tu maestra que tienes que hacer para lograrlo?

Intente utilizar estas técnicas de escucha activa como sea posible a medida que responde en los siguientes escenarios.

1. Tu madre te dice:
   Estoy harta de que estés en tu teléfono todo el día. Solo quiero cenar sin tu teléfono.
2. Tu hermano te dice:
   Nunca ayudas en la casa. Termino teniendo que hacer tus tareas para mantenerte fuera de problemas con mama y papa.
3. Tu amigo te dice:
   Mi novio no me está llamando, y lo he llamado muchas veces. Él siempre me hace esto. ¿Por qué me odia tanto?

Finalmente, algunos consejos sobre lo que no debe hacer cuando alguien está hablando con usted. ¿Qué mensaje crees que envía al hablante cunado estamos distraídos? ¿Cuándo lo interrumpimos?

HABITOS DE ESCUCHA NOCIVOS

1. Juzgando lo que el orador está diciendo. *"Eso es estúpido."*
2. Asumiendo que sabes lo que el orador está a punto de decir e interrumpiendo.
3. No mantener sus emociones bajo control sobre lo que se dice.
4. Cambiar el tema sin reconocer que lo estás haciendo.
5. Estar distraído mientras alguien te está hablando. *Guarda tu teléfono.*

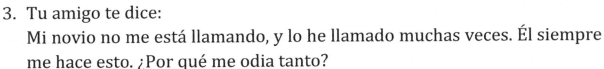

6. Pensando en lo que dirá en respuesta en lugar de realmente escuchar.
7. Ofrecer una solución cuando la persona no ha pedido una.

LLAMADA DE ACCION: Practique habilidades de escucha activa con aquellos cercanos a usted.

Tu Cuerpo Habla

¿Qué es el lenguaje corporal? ¿Por qué es importante para nosotros saber cómo usamos el lenguaje corporal para comunicarnos? ¿Qué tipo de cosas haces con tu cuerpo para mostrar que estás enojado? La siguiente es una lista de cosas que hacemos con nuestros cuerpos que comunican la negatividad. Coloque una marca de verificación junto a las que hace.

Ojos:
- ☐ Mirando seriamente
- ☐ Torciendo los ojos
- ☐ Enfoque Reducido
- ☐ Negarse a mirar a la persona

Cuerpo:
- ☐ Brazos cruzados
- ☐ Mordiendo el labio
- ☐ Señalar con el dedo a alguien o hacer un gesto de vergüenza
- ☐ Cubriendo las orejas
- ☐ Apretando los puños

Respirando:
- ☐ Respirando Fuerte
- ☐ Conteniendo la respiración

Haciendo Sonidos:
- ☐ Suspirando
- ☐ Relamiendo los labios

¿Si tu cuerpo pudiera hablar, que diría?

¿Por qué es que usas tu cuerpo en vez de usar tus palabras?

LLAMADA DE ACCION: Esta semana, presta atención a tu lenguaje corporal cuando estés molesto. Practica usando tus palabras en su lugar.

¡Me Tienes Todo Mal!

Ya que estás leyendo este libro, probablemente sea seguro decir que su estilo de comunicación no siempre es asertivo. ¿Qué sabes de tu propio estilo hasta hora? ¿Estas encontrando que no es directo? ¿Agresivo? Saber tu estilo es la mitad de la batalla para cambiarlo. El siguiente paso es trabajar para ser más asertivo la lista de "Aléjate de" es una herramienta útil para esto. Es una lista de palabras y frases conocidas para convertir una conversación en una dirección negativa.

ALEJATE DE:

1. Palabras Absolutas, como "siempre" y "nunca". Palabras absolutas ponen al oyente a la defensa porque las palabras por lo general no son precisas.

a. Siempre – "Tu siempre haces eso." En cambio di, "No me gusta cunado tú _____."
b. Nunca – "Tu nunca escuchas."
   En cambio di, "No me siento escuchado," o "Me gustaría que tú me dieras tu atención."
c. Todos – "Todos los demás tienen el iPhone." En cambio di, "Me gustaría un iPhone."
d. Nadie – "Nadie me quiere."
   En cambio di, "Me gustaría hacer más amigos."

2. Demostrando que tienes razón, más inteligente, etc.
"Te lo dije." Decimos esto para asegurarnos de que la otra persona sepa que teníamos razón. Aunque es posible que estemos en lo cierto, lanzarlo en la cara de la otra persona lo aleja, crea una actitud defensiva y disminuye sus posibilidades de satisfacer sus necesidades. (¡Recuerda, ellos saben que les dijiste eso y probablemente ya te sientas avergonzado! No es necesario que lo frotes). En cambio, di: "Lamento que haya sucedido."

3. Declaraciones de "debería/no debería"

"Usted no debe usar eso". "Las declaraciones" deberían "o" no deberían "sugieren que una persona está haciendo algo mal. Puede hacer que el oyente se sienta avergonzado, a la defensiva e incompetente. En cambio, di: "Creo que este se ve muy bien en ti".

4. Declaraciones de "Se lo mejor"

"Lo hago de esta manera, y nunca tengo un problema". Esto puede sonar presuntuoso o de control para la otra persona. Cuando estamos en el extremo receptor del alarde de alguien, recibimos el mensaje de que no podemos encontrar lo que funciona mejor para nosotros. En cambio, diga: "Una cosa que he intentado y que ha funcionado es ...". Es más útil.

5. Dando Consejos

¿Alguna vez le has dado consejos a alguien, solo para saber que hicieron lo contrario? Dar consejos envía el mensaje de que sabemos mejor para alguien que ellos. Contrariamente a la creencia popular, cuando los amigos piden consejos, por lo general solo están luchando con sus dudas. En lugar de decirles qué hacer, pregúnteles cuáles son sus opciones y qué han pensado en hacer. Serás muy útil para un amigo que está descubriendo lo que es correcto para ellos al ser un buen oyente.

6. "Usted" declaraciones

Cuando estamos frustrados con algo que alguien está haciendo, es fácil concentrarse en el comportamiento que no nos gusta. Pero cuando comenzamos una oración con "Tú ...", por ejemplo, "No lavaste los platos", la persona se sentirá atacada y tratará de defenderse. En su lugar, habla de ti mismo. Use las declaraciones "Yo" para expresar sus propias preocupaciones y necesidades. "Me gustaría que lavaras los platos". Las declaraciones de "Yo" se explicarán con más detalle en la próxima sesión.

7. Preguntando "Por qué"

Las preguntas de "por qué" son acusatorias. Puede pensar que está preguntando porque tiene curiosidad, pero cuando está enojado pregunte "¿Por qué ...?", Generalmente es porque no le gusta lo que alguien ha hecho. Si realmente sientes curiosidad por algo, está bien preguntar "¿Por qué?". Por ejemplo, "¿Por qué el cielo es azul?" Pero preguntar "¡¿Por qué hiciste eso?" Es una pregunta cargada. No hay una respuesta correcta que la persona pueda darle. En su lugar, diga: "No me gusta cuando haces eso"

8. No traigas a otras personas a tu conversación.

Decir algo como "Tu amigo dice lo mismo de ti" debilita tu posición. Envía el mensaje de que su propio punto de vista no es válido en sí mismo. Sus sentimientos importan, sin importar si los demás sienten lo mismo o no.

> **LLAMADA DE ACCION:** Esta semana, cuente cuántas veces hace las cosas de la lista "Alejarse de". No te desanimes. ¡Recuerda, la conciencia es poder!

Obteniendo Lo Que Quiero
El Poder de la Comunicación Asertiva

Ahora que conoce su estilo de comunicación y que palabras y frases alejarse de, es hora de aprender a obtener lo que quieres utilizando una comunicación asertiva. Ser asertivo es expresar tus pensamientos y sentimientos de una manera directa y respetuosa. Para ayudar con esto, use el siguiente formato. Una vez que te acostumbras, puedes jugar con las palabras y hacerlas tuyas.

(1) Me siento _____ (El sentimiento)

(2) Cuando tu _____ (Comportamiento especifico).

(3) Entiendo que _____ (Explique lo que entiende).

(4) Me gustaría_____ (Indique lo que desea).

(5) Esto es importante para mí porque _____ (Cuales Motivos).

(6) Algunas alternativas son_____ (Indique que otra cosa estaría bien con usted).

Por ejemplo, usemos una situación en la que este molesto con su padre por entrar a sus cuentas de redes sociales. Así es como usarías el formato para expresarte asertivamente:

(1) Me siento frustrado (2) Cuando borras mis cuentas de redes sociales. (3) Entiendo que en el pasado publique cosas inapropiadas y es por eso que revisas mi teléfono ahora. (4) Me gustaría que me digas cuando encuentras cosas inapropiadas y si vas a eliminar mi cuenta (5) Esto es importante para mí porque quiero guardar mis imágenes favoritas. (6) Una alternativa podría ser que lo agregue como seguidor de mis cuentas para que pueda ver mis publicaciones y avisarme de inmediato si tiene algún problema con ellas.

1. Use declaraciones "Yo". Las declaraciones que comienzan con "Yo" son muy poderosas. Por un lado, le dan al oyente espacio para escuchar lo

que tiene que decir. Cuando hablas de ti y no de la otra persona, reduces la probabilidad de que la otra persona se ponga a la defensiva. Cuando comienzas una afirmación con "Tu", por ejemplo, "Lo hiciste mal", la otra persona lo escuchara como un ataque. Comenzaran a formar un contraataque y no obtendrás lo que quieres. Las afirmaciones "yo" también son poderosas porque son muy difíciles de discutir. Si dices que te sientes herido, la otra persona no puede argumentar que no te sientes herido.

    a. Formato que seguir: "Me siento _____".

    b. Por ejemplo: "Me siento herido".

    c. Asegúrese de usar una palabra de sentimiento (incomodo, triste, nervioso, etc.) después de la palabra "sentir". La gente a menudo comete el error de decir: "Siento que eres…". No existe la sensación de "que eres…."

2. Indique el comportamiento especifico que le molesto (lo que la persona dijo/hizo).

    a. Formato que seguir: "…cuando tu _____…"

    b. Por ejemplo: "…cuando eliminaste mis cuentas de redes sociales…"

3. Dígale a la persona por qué cree que hicieron lo que hicieron, y hágales saber qué es lo que usted entiende. A la gente le gusta que lo entiendan. Esto generalmente reduce la probabilidad de defensa.

    a. Formato que seguir: "Entiendo que _____."

    b. Por ejemplo: "Entiendo que te preocupa lo que estoy haciendo en las redes y quieres asegurarte de que estoy a salvo."

4. Indique su pedido en una breve oración. Recuerde no usar un tono exigente.

    a. Formato que seguir: "Me gustaría que tu_____."

    b. Por ejemplo: "Me gustaría que me hables antes de eliminar mis cuentas de redes sociales."

5. Diga porque su solicitud es importante para usted. Ayuda a dar al menos dos razones.

    a. Formato que seguir: "Esto es importante para mí porque
         _____."

    b. Por ejemplo: "Esto es importante para mí porque mis amigos se comunican conmigo a través de mis cuentas y no quiero que piensen que los ignoro. Además, cuando eliminas mis cuentas, pierdo mis fotos favoritas."

6. Proporcione algunas alternativas a su solicitud para que resuelvas el problema y sea un esfuerzo de colaboración. Dar algunas elecciones puede ayudar a la otra persona a sentirse más motivada para trabajar con usted y aumenta la probabilidad de cambio.

    a. Formato para seguir: "Algunas otras formas de evitar podrían ser____," o "Si no puede _____, ¿puede _____?"

    b. Por ejemplo: "Algunas otras formas de evitar esto podrían ser decirme que desea revisar mis cuentas y las revisare con usted "o "Si no puede decirme antes de revisar mis cuentas, entonces puede decirme que está preocupado por mí y yo seré sincero con usted".

¿Te suena esto a muchas palabras? ¿Adivina cuánto tiempo le tomara expresarse con este formato? Cuando se hace correctamente, todo el proceso demorara entre 30 segundos a un minuto. Algunos consejos para recordar:

1. Haga su declaración solo una vez.
2. No repitas tu punto.
3. No menciones otra situación que te esté molestando. Esto debilitara el poder de la comunicación.

Si tarda mucho más de un minuto en expresase, entonces debe prepararse más por adelantado.

¿Listo? Vamos a practicar.

Primero, piensa en una situación que te moleste. Resumirlo aquí:

_____

En segundo lugar, exprese sus sentimientos, pensamientos y necesidades en torno a la situación utilizando el formato anterior. Asegúrate de que sea breve.

(1) Yo siento _____, (2) cuando tu _____.

(3) Yo entiendo que _____.

(4) Me gustaría _____.

(5) Esto es importante para mí porque _____.

(6) Otras opciones son _____.

Reflexionemos.

1. ¿Cómo te sentirías si estuvieras en el extremo receptor de este mensaje?

2. ¿Que podrías cambiar para que sea más efectivo?

LLAMADA DE ACCION: Utilizando la herramienta anterior, comuníquese con alguien sobre algo que le molesta.

Usa Tus Habilidades De Comunicación
Teatro Improvisado

Aquí hay algunos escenarios que puede usar para practicar su habilidad de comunicación recién aprendida. Está bien si algunas de estas situaciones no se aplican a usted. Solo imagina que estas en el escenario y que te molesta.

1. Viste en Instagram/Snapchat que tus amigos salieron sin ti.

2. Tu amigo sigue pidiéndote prestado dinero y nunca te devuelve el dinero.

3. Notas que tu compañero te está copiando durante una prueba.

4. Tu madre sigue quejándose de lo que estás haciendo mal, pero no reconoce lo que haces bien.

5. Tu hermana no te incluye cuando la visitan sus amigos en casa.

6. Tu padre dice cosas negativas sobre tu madre.

7. Tu madre toma mucho alcohol.

8. Tu amigo te cancela frecuentemente.

9. Los padres de tus amigos son más permisivos que los tuyos y te sientes excluido.

10. Tu padrastro o madrastra actúa como un padre y te sientes incómodo.

11. Tu novio parece coquetear con otras chicas en la escuela.

12. Has llamado a tu amiga varias veces, pero ella no ha respondido. Sabes que está bien porque ves fotos de ella en Instagram saliendo y pasándola bien.

13. Tus padres comentan todo lo que comes.

14. Compartes algo personal a tu amigo/a, y ellos les dicen a otros en la escuela.

LLAMADA DE ACCION: Esta semana, pregúntele a alguien que podría hacer en una de estas situaciones. Hable acerca de si fuese efectivo o no.

Comprendiendo Los Límites

¿Alguna vez acordó hacer algo con alguien cuando realmente necesitaba tiempo y espacio para relajarse? ¿Te es difícil decir que no, pedir lo que necesitas o establecer "limites"? Si quieres sentirte menos enojado, deberás ser bueno para establecer límites.

¿Qué es un límite?

Una forma fácil de pensar en un límite es imaginar el límite de un país. Esta es una línea invisible alrededor de un pedazo de tierra donde las personas tienen límites invisibles que los hacen sentir seguros. Por ejemplo, supongamos que alguien se encuentra demasiado cerca de ti en la fila del supermercado y te sientes incómodo. Ese sentimiento te dice que tu espacio personal está siendo violado. Es esencial establecer límites cuando otros abusan a violan nuestro espacio, tiempo, cuerpo, dinero o vulnerabilidad emocional. Cuando nos protegemos, es menos probable que estemos enojados.

¿De Dónde Vienen Los Límites?

Aprendemos los límites de nuestros cuidadores: padres, familiares, amigos, maestros, entrenadores, etc. Nosotros aprendemos los límites observando a los demás. Si mamá se sobre pasa con su trabajo, tareas domésticas, trabajo voluntario y nunca dice: "No, lo siento. No puedo trabajar en la venta de pasteles de la escuela... ", entonces aprendes que **está bien** trabajar demasiado. Aprendemos los límites de la forma en que somos tratados por los demás. Si papá te grita mucho, entonces creces creyendo los gritos **están bien**, y aceptas este comportamiento de los demás porque estás acostumbrado. También es muy probable que se convierta en un gritón y que usted mismo afecte a otros. La buena noticia sobre el hecho de que se aprenden los límites es que se pueden desaprender. Si empiezas a prestar atención a tus instintos, te guiarán para establecer límites. Aprenderás a decir cosas como: "No está bien que me hables de esa manera" o "Lo siento, pero no permito que la gente copie mi tarea".

Tipos de Límites

1. Límites Físicos crea suficiente espacio entre tú y otra persona para que te sientas cómodo.

Ejemplos:

    a. Mantienes una cierta distancia de las personas cuando estás parado en la fila del almuerzo en la escuela. Si alguien está parado muy cerca, das un paso adelante.

    b. Su amiga quiere dejar un montón de sus pertenencias en su habitación mientras ella viaja fuera de la ciudad, y usted dice que no.

2. Limites Emocionales son amortiguadores invisibles que nos protegen de las personas que hacen cosas que lastiman nuestros sentimientos.
Ejemplos:

    a. Tu madre se queja de tu padre contigo y exige que la consuelas.

    b. Tu novia o novio te engaña.

3. Limites Intelectuales incluye nuestras buenas ideas y logros académicos.
Ejemplos:

    a. Un estudiante hace trampa en una prueba copiando tus respuestas.

    b. Un estudiante toma crédito por tus ideas en un proyecto de clase.

4. Limites Sexuales nos mantienen a salvo del contacto no deseado y las conversaciones sexuales inapropiadas. Ejemplos de violaciones de límites sexuales.

    a. Alguien te toca de manera inapropiada o te manipula para que hagas algo sexual que no quieres.

    b. Tu tío te cuenta un chiste sexualmente inapropiado.

5. Limites Financieros evitar que nuestro dinero sea mal utilizado o robado.
Ejemplos:

    a. Un amigo te pide dinero prestado, pero no lo paga.

    b. Heredas el dinero de un abuelo y tu padre lo toma.

Limites Problemáticos: Sin Límites o Encerrados

Las personas que están "sin límites "dan demasiado, confían demasiado fácilmente y tienen dificultades para decir que no. Se aprovechan y entran en relaciones dañinas. Al otro extremo, las personas pueden ser "encerrados". Desconfían de los demás y los mantienen a grandes distancias. Las personas con límites encerrados se sienten solos y aislados. Idealmente, queremos evitar estar sin límites y encerrados, y establecer límites saludables y moderados que nos mantengan seguros y conectados. (Consulte Configuración de límites: ¿Dónde trazo la línea?)

Ejercicio

Haz una lista de tus límites:

1. _____
2. _____
3. _____

¿La gente sabe de tus límites? ¿Respetan tus límites? ¿Hay límites que necesita aflojar o fortalecer?

LLAMADA DE ACCION: Esta semana, presente atención a sus instintos: las cosas que dicen las personas, los favores que piden, que tan cerca o lejos están de usted, como y donde lo tocan, etc. ¿Cómo se siente? Pregúntese: "¿Me gusta eso o no?" Sus respuestas lo ayudaran a establecer límites saludables.

¿Dónde Pones Tu Límite?
Estableciendo Límites

¿Cuándo está BIEN decir que no? ¿Cuánto es mucho? ¿Puedo pedir más tiempo? ¿Puedo pedir por más espacio? Cuando se trata de establecer límites, las personas a menudo no están seguras de sí mismas. No saben que pedir. Se preguntan si sus peticiones son razonables.

¿Cuándo es Crucial ser Consciente de sus Límites?

1. Cuando te encuentras habitualmente anteponiendo las necesidades de los demás sobre las de usted
2. Cuando te piden que compartas más información sobre usted de lo que se siente cómodo al compartir
3. Cuando te piden que hagas algo que va en contra de tus valores
4. Cuando alguien está demasiado cerca o tocándote de una manera que no te gusta
5. Cuando simplemente no *quieres* hacer algo

Como se discutió en "Comprender los límites", una de las claves para mantener la calma es establecer límites con los demás. Cuando prestamos dinero a personas que no lo pagan, o permanecemos en el teléfono durante horas con amigos que solo hablan de sí mismos y no preguntan por nosotros, es probable que nos sintamos frustrados. Los límites saludables se establecen de acuerdo con lo que se siente cómodo, y eso varia de persona a persona. Conocerte a ti mismo es crucial. Una vez que identifiques lo que se siente bien y lo que se siente mal, puede establecer límites y comunicar asertivamente sus deseos a los demás.

Veamos algunas estrategias para establecer límites saludables.

Consejos Útiles para Establecer Límites

1. Tener confianza. Usted tiene el derecho de decir que no y no está haciendo nada malo cuando lo dice. "Lo siento, pero eso no funcionara para mí en este momento" es una respuesta razonable a una solicitud. Nadie puede argumentar que funcionara para usted. Este preparando para que la persona se enoje. Está bien que ellos tengan sus sentimientos al respecto.

2. Está bien decir, "Tengo otros planes." Incluso quedarse en casa y mirar televisión es un plan.

3. No te castigues por decir que no. Recuerda que tus sentimientos son tan importantes como los de otros.

4. Pida tiempo para tomar su decisión: "Puedo hacerle saber mi respuesta mañana (la próxima semana, etc.)."

5. Siéntase libre de ofrecer alternativas a la solicitud: "No estoy disponible para trabajar en la recaudación de fondos todo el día, pero puedo trabajar de 9 a 12 PM, si eso ayudara" o "No me siento cómodo entregándote mi tarea para copiar, pero estoy feliz de ayudarlo con la tarea después de la escuela".

¿Cómo Puedo Establecer Límites a las Solicitudes?

1. Repita a la persona lo que usted entiende que está pidiendo. Si no está seguro, solicite una aclaración.
2. Evalúa si la solicitud es algo que quieres hacer.
3. Dígale a la persona si podrá o no hacerlo. Sea honesto y diga si o no. No necesitas inventar escusas.
   Por ejemplo: "Entiendo que quieres pedir prestado algo de dinero. No me has pagado por las entradas del concierto, por lo que no me siento cómodo prestándote más en este momento". Algunas personas les preocupan que, si establecen un límite como este, la amistad terminara. Si ese es el caso, piensa en el valor de la "amistad" que solo existe si haces cosas que no quieres. Puede ayudar preguntar a otros (con limites saludables) que harían en su situación. *Pregúntese, "¿Terminaría una amistad si mi amigo no me prestara dinero?*

Ejercicio 1: Practica Establecer Limite con Solicitudes

Piensa en una solicitud por la que te sentirás incómodo. Escríbelo:

Solicitud: _____

Ahora practica estableciendo un límite. ¿Qué dices?

Respuesta a la solicitud:

_____

¿Qué Pasa si se Siento Incomodo en el Momento?

Di que te sientes incómodo. Pedirle a la persona que se detenga, se mueva, etc.

Por ejemplo: Me siento incomodo cuando tu _____ (Comportamiento especifico). Por favor deje de _____.

Ejercicio 2: Practica Estableciendo un Límite Cuando te Sientes Incomodo en el Momento

Piensa en una situación que te hace sentir incomodo (por ejemplo, alguien parado muy cerca). Escríbelo:

Situación: _____

Ahora practica el establecimiento de un límite. ¿Qué dices o haces? (Su respuesta podría ser una acción en lugar de palabras.)

Respuesta a la situación:

_____

_____

Recuerda: Estableciendo un límite puede ser tan fácil como decir "Me gustaría que usted _____, "o "No me gusta cuando usted _____."

Algunos contenidos adaptados de Matthew McKay, PhD y Peter Rogers

LLAMDA DE ACCION: Esta semana practique estableciendo límites.

¿Cuál Es Tu Forma?

Creencia Nociva / Saludable	Creencia Hiriente / Pensamiento Útil	Sentimiento	Comportamiento Destructivo / Constructivo	Consecuencia
Creencia Nociva: Yo tengo que ganar argumentos, de lo contrario soy un perdedor.	**Creencia Hiriente**: Si no gano este argumento, pensara que es mejor que yo.	Ansioso, enojado, o temeroso.	**Comportamiento Destructivo**: No escucho su punto de vista, pero sigo interrumpiéndolo.	Termina la Amistad. Me siento avergonzado porque sé que este es mi problema.
Creencia Saludable: En argumentos saludables la gente se turna para hablar y escuchar. No se trata de ganar o perder.	**Pensamiento Útil**: Me siento bien conmigo mismo cuando me comunico de una manera saludable, incluso cuando es difícil.	Confiado y conectado con mi amigo.	**Comportamiento Constructivo**: Sigo escuchando los puntos que él hace, y el escucha los míos. Somos capaces de estar en desacuerdo respetuosamente.	Seguimos valorando nuestra Amistad.
Creencia Nociva: Mis padres no me entienden.	**Creencia Hiriente**: No me dejan hacer nada porque no tienen idea de lo que es ser un adolescente.	Mal entendido, enojado, herido y solo.	**Comportamiento Destructivo**: Grito a mis padres: "¡Déjame en paz!", voy a mi habitación y azoto mi puerta.	Mis padres están confundidos por mi reacción y me quitan el teléfono.
Creencia Saludable: Puede que no me guste lo que dicen mis padres, pero sé que tienen las mejores intenciones.	**Pensamiento Útil**: Desearía que me dejaran ir a ver a mis amigos, pero sé que necesito terminar mi tarea.	Amado, y un poco excluido porque no estoy con mis amigos.	**Comportamiento Constructivo**: Me quedo en casa y estudio en lugar de ver a mis amigos.	Obtengo mejores calificaciones y veo a mis amigos el fin de semana.

Ejercicio: Rellene los cuadros restantes en las dos primeras filas. En las dos últimas filas, crea tus propias creencias nocivas y saludables.

Creencia Nociva	Creencia **Hiriente**	Sentimiento	Comportamiento **Destructivo**	Consecuencia
No puedo parecer débil.				
Creencia **Saludable**	Pensamiento **Útil**	Sentimiento	Comportamiento **Constructivo**	Consecuencia
Está bien ser yo mismo.				
Creencia **Nociva**	Creencia **Hiriente**	Sentimiento	Comportamiento **Destructivo**	Consecuencia
Creencia Saludable	Pensamiento **Útil**	Sentimiento	Comportamiento **Constructivo**	Consecuencia

¡Deténgase! Transforme Sus Pensamientos

Cuando te sientes molesto, ¿te preguntas por qué? ¿Creerías que te sientes molesto cuando piensas pensamientos desagradables? Nuestros pensamientos impactan directamente nuestras emociones. ¿Prestas atención a tus pensamientos? Si sus pensamientos son negativos e irracionales, lo más probable es que se sienta molesto. Transformar tus pensamientos aumentará tus emociones positivas. El objetivo de este ejercicio es ayudarlo a percibir las situaciones de una manera más neutral y realista para que pueda sentirse mejor.

Pensamientos De Ira	Pensamientos Transformados
Él lo hizo a propósito. Le mostrare.	1. ¿Cómo sé que lo hizo intencionalmente? Tal vez no se dio cuenta de que me iba a afectar. 2. Incluso si se lo muestro, puede que no tenga idea de que lección estoy tratando de enseñarle.
Ella debería haber entendido eso.	1. Aunque me gustaría que todos estuvieran en la misma página, no siempre es posible. 2. El hecho de que yo entiendo no significa que todos los demás lo hacen.
Ella se aprovechó de mí.	1. Ella solo puede aprovecharse de mi si la dejo. Necesito establecer mejores límites. 2. Ella solo pide favores, tengo derecho a decir "No".
Él me hizo enojar.	1. Nadie me hizo enojar. Estoy enojado por como veo el evento. 2. Parece que quiero culpar a otros por mis emociones, cuando sé que tiene que ver con mis propias expectativas.

Ejercicio: Pongamos esto en practica

Instrucciones: Enumere sus propios pensamientos de enojo en la primera columna y trate de replantear sus pensamientos, en la segunda columna (al menos dos pensamientos de replanteo por pensamiento de ira).

Pensamientos De Ira	Pensamientos Transformados

LLAMADA DE ACCION: Transforma tus pensamientos desagradables a diario. Si practicas esta habilidad consistentemente, notaras cambios positivos en tus pensamientos y sentimientos. ¿Y adivina qué? No será necesario que trabajes mucho en esto más tarde porque el replanteamiento será natural y automático para ti.

Mirándolo De Manera Diferente

Usando Terapia de Emotivo Racional

Imagina que dos estudiantes obtienen una B en un examen. Un estudiante está contento con el grado; el otro está muy molesto. Si ambos estudiantes obtienen la misma calificación en la misma prueba, ¿Por qué se sienten tan diferentes? La respuesta es que nuestras *emociones provienen de nuestros PENSAMIENTOS sobre una situación, y no de la misma situación.*

Si el estudiante 1 obtiene una B y piensa, "Esta es una buena calificación, definitivamente superior a la medida. Me pregunto si podría obtener una A la próxima vez," se sentiría tranquilo, porque está teniendo una idea razonable. Si el estudiante 2 obtiene una B y piensa, "Soy un perdedor", se sentirá molesto, porque está teniendo una idea perturbadora. Este pensamiento proviene de su dolorosa creencia de que su autoestima aumenta y disminuye con sus calificaciones.

¿Por qué dos personas tienen pensamientos tan diferentes sobre el mismo evento? Nuestros pensamientos están determinados por nuestras creencias fundamentales sobre nosotros mismos, el mundo y nuestro futuro. El estudiante 1 tiene la creencia central, "Hago lo mejor que puedo y luego me desafío a mí mismo para hacerlo mejor". El estudiante 2 tiene la creencia central, "Solo soy valioso cuando obtengo solamente A's". Nos sentimos de la manera en que pensamos. Si vemos una situación en una luz negativa, sentimos emociones negativas. Si lo vemos de una manera positiva, o al menos neutral, nos sentimos mejor.

Terapia Emotivo Racional (T.E.R.) es una herramienta que puede mejorar nuestra percepción de nosotros mismos, los demás y la vida en general. Si desea sentirse mejor, el primer paso es tomar conciencia de sus pensamientos desencadenantes y luego escribirlos.

Ejercicio: Durante los próximos días, cuando se sienta enojado, describa la situación en la que se encuentra. Luego, escriba su **interpretación** (la idea que tienes) al respecto. Luego, trate de identificar los **sentimientos** que surgieron para usted, así como las **acciones** que tomo. Finalmente, si su propio pensamiento lo llevo a sentirse enojado, **disputa** (discute) su interpretación y elige pensamientos alternativos. A continuación, se muestra un ejemplo de lo que T.E.R. parece:

1. *Situación:* ¿Cuál fue la situación que te llevo a enojarte?
2. *Creencia:* ¿Cuál es la creencia que tienes en general sobre este tema?
3. *Interpretación (pensamiento):* ¿Cómo interpretaste la situación?
4. *Sentimientos:* ¿Cuáles fueron sus sentimientos durante la situación?
5. *Comportamiento:* Si siente enojo, ¿qué hiciste por tu enojo?
6. *Disputa/Discute:* ¿Cómo puedes ver la situación de manera diferente?

Puedes cambiar tus pensamientos y sentimientos cambiando tus creencias. ¿Cómo funciona esto? Las creencias moldean la forma en que pensamos y nuestros pensamientos crean nuestros sentimientos. Cuando nos sentimos de cierta manera, actuamos de cierta manera. El siguiente diagrama muestra como fluye esta idea:

Creencias ⟹ **Pensamientos** ⟹ **Sentimientos** ⟹ **Acciones**

Para el paso final del T.E.R. proceso, discutimos o "disputamos" nuestra creencia original hasta que tengamos formas más útiles de ver la situación. Use las siguientes preguntas para ayudarlo a argumentar su creencia:

➤ ¿Quién dijo que esto es cierto? ¿Dónde está la evidencia?
➤ ¿Por qué creo esto?
➤ ¿Cuáles son algunas formas alternativas de ver esto?

El siguiente es un ejemplo de cómo usar T.E.R. por ira:

Situación: Compartí algo personal con un amigo y él se lo conto a otros.

Creencia: Los amigos deben guardar secretos, de lo contrario no son buenos amigos.

Interpretación (pensamiento): No es un buen amigo.

Sentimientos: Traicionado y enojado.

Acciones: Le grite que mantenga la boca cerrada.

Disputa: Al pensar en la situación, recuerdo que yo también he compartido la información personal de mi amigo con otros. Y no lo hice para lastimarlo. Supongo que no es tan fácil guardar un secreto.

Prueba T.E.R. con una situación de tu propia vida:

Situación: _____

Creencia: _____

Interpretación: _____

Sentimientos: _____

Acción: _____

Disputa: _____

LLAMADA DE ACCION: Esta semana, identifique una de sus creencias negativas sobre usted, el mundo, o su futuro.

Bullying

La mayoría de la gente ha escuchado acerca del acoso escolar, el hostigamiento presenciado, ha sido víctima de un bully o ha sido un bully. Las estadísticas sobre la intimidación son bastante sombrías: cada siete minutos un niño es intimidado; los adultos intervienen en el acoso escolar el 4% del tiempo; los padres intervienen el 11% del tiempo; y el 85% de las veces no hay intervención en absoluto.

¿Qué es Bullying?

Bullying es "habitualmente cruel, insultante o amenazante para otros que son más débiles, más pequeños o de alguna manera más vulnerables". (www.merriam-webster.com)

Bullying puede ser:

- Físico – golpear, patear, morder, empujar, tirar del pelo, robar, etc.
- Emocional – insultos, burlas, amenazas, chismes
- Sexual – humillar a alguien verbalmente sobre el género o la sexualidad, tocar el cuerpo de alguien inapropiadamente, publicar fotos inapropiadas en línea
- Ciber-bullying – publicar fotos, historias o videos en las redes sociales (en línea o por medio de un mensaje de texto) que hieren a los demás.

Según un estudio realizado en 2010 por Nixon y Davis, el 55% de los estudiantes informan haber sido acusados por su apariencia; El 37% dice que son blanco debido a su forma corporal; y el 16% dice que son intimidados por su raza. Los estudiantes con discapacidades son intimidados dos o tres veces más que sus compañeros (Marshall, Kendall, Banks & Gover (Eds.), 2009), y el 82% de los estudiantes LGBTQ dijeron que fueron intimidados en el último año por su orientación sexual (National School Clima Survey, 2011). www.pacerkidsagainstbullying.org/wp-content/uploads/2014/07/bullying101tab.pdf

¿Quién hace Bullying?

Cualquiera puede ser un bully. No importa su tamaño, sexo, edad, grado, raza o etnia.

¿Porque La Gente Hace Bullying?

Si los padres o otros niños nos han intimidado, a menudo terminamos intimidando a otros. Lo hacemos como una forma de tratar de recuperar nuestro poder. Algunas veces creemos que la intimidación nos ayudara a encajar. Quizás esperamos que, si intimidamos a otros, nadie notara nuestras imperfecciones.

Romper el Círculo de Bullying

Algunos bullies argumentan que a nadie le importa su intimidación, que "no es tan malo". Pero hay muchas personas en tu vida a las que les importas, como padres, hermanos, amigos, maestros y compañeros de clase. Lo más importante, sin embargo, es que la persona que está siendo intimidada le importa... mucho. **(Ponte en mi Lugar.)**

Cuando intimidamos a otros, se muestra una falta de respeto. Si nos faltan al respeto los demás, hay una buena posibilidad de que no nos respetemos a nosotros mismos. ¿De dónde crees que proviene esta falta de respeto? ¿Lo aprendemos en casa? ¿De nuestros padres? ¿Cómo puedes aprender a respetarte a ti mismo? ¿Cómo puedes respetarte a ti mismo cuando lastimas a otros? Tal vez hieres a otros en un esfuerzo por sacar tu dolor o ira. Pero su dolor y enojo permanecerán con usted hasta que hable sobre su experiencia con alguien en quien confíe. Puede ayudarte a sentirte mucho mejor, y lo hará fortalecer sus amistades y otras relaciones también.

¿Te sientes bien después de que intimides a alguien?

¿Estás celoso de tus compañeros? ¿Te asusta que no seas tan inteligente o popular como otra persona en la escuela? No eres la única persona que se siente de esta manera. Hay muchos otros que comparten sus miedos, pero que aún encuentran maneras útiles de manejar sus emociones y comportamientos. Tenga curiosidad sobre lo que hacen para sentirse mejor cuando están luchando con baja autoestima. ¿Qué hacen ellos en lugar de intimidar?

Efectos del Bullying

La intimidación puede tener consecuencias muy graves para las víctimas: depresión, ansiedad, daño auto infligido (como cortar o quemar), problemas para dormir o comer, disminución de la participación en la escuela, disminución de calificaciones y suicidio. Los adolescentes que intimidan tienen más probabilidades de:

- abuso de alcohol y drogas
- entrar en las alteraciones físicas
- destrozar propiedad
- expulsado de la escuela
- participar en la actividad sexual a una edad temprana

- obtener infracciones de trafico
- ser condenado por crímenes
- ir a la cárcel
- abuso de socios/niños

(https://www.stopbullying.gov/at-risk/effects/#bullied)

Ejercicio:

Piensa de una vez cuando tú le hiciste bullying a alguien:

¿Qué fue lo que hiciste?

_____

¿Quién fue la victima?

_____

¿De qué te arrepientes? (¿Por qué fue malo?) _____

_____

¿Que estabas tratando de lograr? _____

_____

¿Cómo podrías lograr lo mismo sin lastimar a nadie? _____

_____

LLAMADA DE ACCION: Hable con un adulto de confianza (padre, maestro, consejero, etc.) sobre cómo detener el ciclo de intimidación. (www.stompoutbullying.org)

Gordo… Estúpido… Feo

Todos sabemos cómo es cuando nos llaman un nombre. Probablemente todos hemos llamado a alguien un nombre. De cualquier manera, se siente bastante mal y no nos ayuda a obtener lo que queremos. Los insultos hacen que las personas se desconecten y se alejen. Es una señal de que nos sentimos impotentes y obligados a recurrir a una forma de comunicación baja.

Sin embargo, eso no significa que juzgar a las personas sea malo. De hecho, hacer juicios sobre los demás a veces es necesario para mantenerse a salvo. Veamos las ventajas y desventajas de etiquetar y hacer juicios sobre las personas.

Ventajas de ser Crítico

Necesitamos hacer juicios sobre las personas para decidir cuándo vamos a confiar en ellas. Por ejemplo, si alguien tiene la costumbre de prometer reunirse con usted y luego cancelarla, es una buena idea juzgar a esta persona como "poco confiable". Este juicio nos impide esperar algo de resultado. Hacer un juicio sobre alguien incluso puede salvarle la vida: si alguien tiene la costumbre de conducir ebrio, es prudente que decida que es peligroso viajar con él/ella.

La vida está llena de situaciones en las que te juzgaran, y por buenas razones. Las universidades aumentan su reputación al contar con la asistencia de estudiantes exitosos. Es en su mejor interés aceptar nuevos solicitantes con buenas calificaciones de la escuela secundaria, el mejor indicador de las calificaciones que obtendrán en la universidad. Del mismo modo, si estas probando para un equipo deportivo, serás juzgado por tu atletismo. Es en el mejor interés del equipo elegir los mejores atletas para garantizar la mayor cantidad de victorias.

Desventajas de ser Critico

Cuando etiquetamos negativamente a las personas por enojo, sienten nuestro juicio y levantan barreras emocionales. Se ocupan de defenderse y no tienen ningún interés en lo que nos molesta. Digamos, por ejemplo, que compartes una habitación con alguien que deja basura y ropa alrededor. Si los llamas "cerdos", probablemente se pondrán a la defensiva y atacaran. Por lo menos, no van a sentirse motivados para limpiar la habitación. Pero si puede describir que es lo que están haciendo que no está de acuerdo con usted, tiene una posibilidad mucho mejor de lograr que cambien su comportamiento.

Aunque parezca obvio, es importante tener en cuenta que, mientras juzgamos y etiquetamos a las personas, nos involucramos en pensamientos negativos. Los pensamientos negativos conducen a sentimientos negativos que nos lleva a comportamientos que lamentamos. Incluso si no actúas en tus pensamientos y sentimientos negativos, las personas pueden sentir tu hostilidad. Mantienen su distancia y te privan de las relaciones cercanas.

¿Dónde aprendí a juzgar, etiquetar y llamar nombres?

Tal vez has escuchado a tus padres hacer comentarios desagradables sobre las personas. Si el camarero de un restaurante ocupado hace que su pedido se equivoque y su padre lo llama "estúpido", usted aprende a hacer lo mismo. Los bullies obtienen poder al intimidar y agredir verbalmente a los demás. Tal vez aprendas que etiquetar a las personas es una forma de empoderarse. Puede recoger estos hábitos de amigos, hermanos e incluso de la televisión.

Cuando juzgamos, etiquetamos y llamamos nombres, intentamos parecer superiores. Pensamos erróneamente que es una buena manera de sentirse mejor con nosotros mismos es desestimando a los demás. ¿De qué cosas te sientes inseguro? ¿Cedes ante la presión de los compañeros y tratas mal a los demás como una forma de encajar con ciertos grupos?

La buena noticia es que juzgar y etiquetar a los demás es un hábito aprendido, lo que significa que pueden desaprenderse. Nunca es demasiado tarde para desaprender algo. El primer paso es ser honesto consigo mismo acerca de tus propios malos hábitos. ¿Usted utiliza alguna de las siguientes palabras para describir a las personas?

Estúpido • Feo • Gordo • Puerco • Nerd • Gay • Puta • Psicópata

Que realmente te pasa cuando recurres a los insultos. ¿Hay algo sobre la persona que ves en ti que no te gusta? ¿Estas llamando nombres en lugar de hacer el trabajo más duro de expresar lo que no te gusta de su comportamiento? ¿Estas llamando a alguien "psicótico" en lugar de pedirle que no te llame tan a menudo?

Ejercicio:

1. Nombra un momento en el que juzgaste a alguien o pusiste un sobre nombre.

_____

2. ¿Por qué crees que eras crítico?

_____

3. Describe el comportamiento específico que no te gusto.

_____

4. Nombra una vez que alguien fue crítico contigo o te llamo por un sobre nombre.

_____

5. Como fue eso?

_____

6. ¿Qué hubieras querido que supieran sobre ti?

_____

LLAMADA DE ACCION: Preste atención a sus pensamientos críticos. ¿Qué pasa con el comportamiento de la otra persona que no te gusta? ¿Cómo puedes decirlo? Por ejemplo, si tu novia sale con otra persona y la llamas "puta", se pondrá a la defensiva y discutirá. Pero si dices: "No me parece bien que salgas con otras personas", no puede argumentar que te parece bien.

Ponte En Mi Lugar
Desarrollando Empatía

¿Alguna vez has escuchado a alguien decir: "Ponte en mis zapatos"? ¿Que están pidiendo de ti? Quieren que veas las cosas a su manera, te están pidiendo *empatía*.

¿Qué Es Empatía?

La empatía es la capacidad de ver la perspectiva de otra persona. Es la capacidad de relacionarse con la experiencia de otra persona. (*"He estado allí...Se lo que es eso..."*) Empatía es reconocer emociones familiares en otra persona y hacerle saber. (*"Tiene sentido que te sientas de esa manera..."*) Lo más importante, la empatía es la comprensión emocional e intelectual de los pensamientos, sentimientos y experiencias de otra persona. Obtenemos esto al recordar momentos en que estábamos en situaciones similares y teníamos los mismos pensamientos y sentimientos.

¿Porque Usamos Empatía?

Nosotros empatizamos con los demás para que podamos entenderlos mejor. Cuando las personas sienten que estamos tratando de entenderlas, construimos confianza, apertura y seguridad emocional. La gente se siente naturalmente atraído por aquellos en quienes confían. Esto es cierto ya sea que estemos en casa o en la escuela. Cuanto más utilice la empatía, más notara que la gente lo aprecia. Finalmente, mientras mejor entiendas los sentimientos de los demás, menos enojado te sentirás.

¿Cómo es que usamos la Empatía?

La próxima vez que se encuentre en una situación con alguien que está molesto, vea si puede identificar lo que siente. Si no está seguro, flote sobre su vida a recuerdos de escenarios similares. ¿Cómo te sentiste? ¿Herido? ¿Asustado? ¿Frustrado? Deje que la persona sepa lo que recuerda al expresarlo de una manera amable. Puedes decir cosas como, "Se cómo se siente eso. Es horrible. ¡Debes haberte sentido terrible! Estoy tan contento de que me lo hayas dicho." Cuando haces esto, te comunicas que los sentimientos de la persona tienen sentido y los aceptas. Esto se llama *validación*. Aprender a usar empatía es un proceso que lleva tiempo. Puede ser desafiante si las personas en su familia no se identifican entre sí. Pero hacer el esfuerzo de desarrollar empatía hacia los demás dará sus frutos de múltiples maneras: reduciendo el conflicto, disminuyendo su enojo y fortaleciendo las relaciones con amigos, novios / novias y miembros de la familia.

Pongamos la Empatía a trabajar...

Lee las siguientes situaciones. En lugar de asumir lo peor acerca de por qué la persona se comporta de esta manera, intente imaginar razones más moderadas y útiles al ponerse en sus zapatos. Por ejemplo, dos de tus mejores amigos salen y no te invitan. En lugar de asumir que están enojados contigo, reconoce que has hecho lo mismo en el pasado y está bien que pasen el rato sin ti.

1. *Situación: Tu amigo te ase burla frente a los demás.*

   _____

2. *Situación: Tus padres no te permiten ir a una película de medianoche en una noche escolar.*

   _____

3. *Situación: Tu profesor te corrige frente a tus compañeros de clase.*

   _____

4. *Situación: Le dices a un amigo un secreto, y lo comparte con otro amigo.*

   _____

5. *Situación: Mientras estas teniendo una conversación seria con tu amigo, suena su teléfono. El interrumpe la conversación y toma la llamada.*

   _____

La empatía y la ira son inversamente proporcionales: mientras más empatía, menos enojado se sentirá.

LLAMADA DE ACCION: A medida que avanzas en tu semana, trata de adivinar como se sienten las personas que te rodean. Usa sus expresiones faciales y lenguaje corporal para ayudar.

El Otro Tipo de Inteligencia
Entendiendo la Inteligencia Emocional

¿Sabías que hay diferentes tipos de inteligencia? "Inteligencia de libros" se refiere a inteligencia académica. "Inteligencia callejera" es saber cómo mantenerse a salvo en su cuida o vecindario, y el coeficiente de inteligencia (cociente de inteligencia) mide sus habilidades de razonamiento y resolución de problemas. Pero cuando se trata de enojo, ninguno de estos es tan importante como comprender los *sentimientos*. Este tipo de conocimiento se llama inteligencia emocional o EI. EI mide que tan bien reconoce, comprende, y maneja las emociones. Cuando alguien te da un abrazo, ¿sabes lo que eso te hace sentir? Cuando le gritas a alguien, ¿eres consciente de como eso los afecta? La inteligencia emocional es saber cómo afectan las palabras y las acciones de los demás, y como tus palabras y acciones afectan a los demás, y usar esa información para desarrollar mejores relaciones.

Uno de los ingredientes esenciales de la inteligencia emocional es autoconciencia. La autoconciencia significa saber lo que estás pensando y sintiendo. Para algunos, identificar pensamientos y sentimientos no es fácil. Si sus cuidadores no le preguntan qué piensa o como se siente, probablemente haya aprendido que sus pensamientos y sentimientos no importan. Te has convertido en un experto en ignorarlos. Si ignoras tus pensamientos y sentimientos, probablemente no estés tratando de satisfacer tus necesidades. Y si no obtienes lo que necesitas, te sentirás bastante enojado. ¿Tiene sentido? Obtener control de su enojo comienza con saber lo que está pensando y sintiendo. Una vez que te conoces a ti mismo, este conocimiento te guía a manejar tus impulsos cuando te encuentras en situaciones incomodas.

¿Alguna vez has experimentado alguno de los siguientes?
- Conocer al nuevo novio/novia de un padre
- Ser presionado por amigos para beber o consumir drogas
- Alguien que te engaña en la escuela
- Alguien ha hablado de ti a tus espaldas

- No ser invitado a una fiesta
- Un amigo triste que se dirige a ti para mayor comodidad

¿Cómo te comportaste en esa situación? ¿Eres consciente de como tus palabras y acciones afectaron a las personas que te rodean? Podemos lastimar fácilmente a otros sin tener la intención de hacerlo. Digamos, por ejemplo, que quieres entender algo que hizo tu amigo. Usted le pregunta, "¿Por qué hiciste eso?". Tu intención es comprender mejor la situación, pero tu amigo se ofende por tu tono y el uso de la palabra "por qué", que puede ser acusatorio.

La base del manejo de la ira es saber cómo se sienten usted y los demás. Imagina el poder que proviene de saber cómo está impactando a los que lo rodean y de usar esta información para mejorar sus relaciones. Cuando aumenta su inteligencia emocional, fortalece las conexiones con amigos, familiares, y en el futuro con en el mundo de los negocios.

Como Otros Te Impactan y Como Tu Impactas a Otros

El siguiente ejercicio te ayudara a ser emocionalmente más inteligente.

Ejercicio: Piense en un momento en que sus sentimientos fueron lastimados. Resume la situación:

_____

_____

_____

1. ¿Expresaste tu sentimiento(s)? Sí   No

2. ¿La persona que te lastimo sabe que lo hizo? Sí   No   No lo sé.

3. Sí, sí. ¿Qué le hizo saber que te lastimaron?

_____

Ahora gira la mesa...

Piensa en un tiempo donde tú dijiste o hiciste algo que lastimo a otra persona.

1. ¿Cómo sabes que lo lastimaste?

_____

2. ¿Sabías rápidamente que estaba lastimado?   Sí   No

3. Si, si ¿qué te hizo saber que estaba lastimado?

_____

LLAMADA DE ACCION: Ser consciente de sí mismo es el primer paso para mejorar su inteligencia emocional. Esta semana, desafíese a conocerse mejor. Serás alguien que actúa impulsivamente y lo lamenta, a alguien que es estable y mantiene buenas relaciones con el tiempo.

La Ira Es Como...

Lea las siguientes analogías de ira. ¿Cuáles son los tres principales con los que te relacionas más?

Lata de Refresco - la ira es como una lata de refresco. Si la agitas y luego abres la tapa inmediatamente explotará, y se derramará en todas partes. Pero si la sacudes y tocas la parte superior varias veces y dejas pasar un poco de tiempo, y abres la lata lentamente, la soda no se escupirá. (Natalie Zangan).

Elaborando - ¿Qué sucede cuando dejas una cafetera encendida durante horas después de que el café ha terminado de prepararse? El café se vuelve demasiado amargo para beber, no importa la cantidad de crema y azúcar que agregues. Del mismo modo, cuando una persona se aferra a su ira y no la expresa de manera saludable, continua "elaborando". La persona se vuelve tan amarga que pierde la capacidad de expresarse de una manera que puede ser útil o constructiva. Swami, O. Two Types of Anger. Retrieved from http://omswami.com/2012/09/two-types-of-anger.html

Globo - La ira es como retener el aire en un globo desatado. Si dejas que el globo se vaya, explotara de tus manos y volara locamente por la sala. Pero si sueltas la abertura lentamente, puedes controlar el movimiento del globo. Para mantener el control sobre la forma en que se expresa su ira, tendrá que dejar que la emoción se desarrolle de manera lenta y mesurada.
Wiley, T. *Anger Management Balloon Analogy.* Retrieved from http://www.adapt-fl.com

Olla a presión – La ira se acumula dentro de una persona como el vapor dentro de una olla a presión. Hay tres formas de lidiar con la acumulación. Una forma es mantener la presión dentro de la olla hasta que explote. En segundo lugar, puede reducir la presión tocando periódicamente parte del vapor. (Aquí es de donde provienen las expresiones comunes "ventilación" y "descarga de vapor") La tercera (Y la mejor) manera es bajar la llama y reducir el calor! En lugar de encerrar ira en el interior o una manera tranquila y concentrada. Rellenar la ira perjudica al yo. Explotar en ira perjudica a los demás. La ira asertiva, amable, clara y directa, puede acercar a las personas y ayudarlas a satisfacer sus necesidades. Bushman, B. J. (2013). *Anger Management: What Works and What Doesn't.* Retrieved from https://www.psychologytoday.com/blog/get-psyched/201309/anger-management-what-works-and-what-doesnt

Tormenta – La ira es como una tormenta con fuertes vientos de crisis y caos. En medio de una tormenta de ira, todo está cargado de lluvia, no podemos ver nada con claridad, y las carreteras son traicioneras. Doop, J. (2012). *A Storm of Anger.* Retrieved from http://realintent.org/a-storm-of-anger/

Iceberg – La ira es como la punta de un iceberg. La parte del iceberg que sobresale del agua es solo el 10% de todo. La mayor parte, el otro 90%, está bajo el agua y se oculta a la vista. Cuando experimentamos ira y gritamos, apretamos los puños y damos portazos, eso es solo la "punta" de lo que sucede emocionalmente con nosotros. Debajo de la ira, y lo que otros no pueden ver, es la parte más grande del iceberg: miedo, inseguridad, frustración, orgullo herido, y sentimientos de falta de respeto. Black, B. (2009). *Anger is Like an Iceberg.* Retrieved from https://www.mentalhelp.net/blogs/anger-is-like-an-iceberg/

Veneno- La ira es como el veneno. Una vez que esté en su sistema, si desea sobrevivir, tendrá que tomar medidas serias para drenarlo. Si no lo hace, comerá las partes sanas de usted hasta que ya no tenga control sobre él. Rittman, D. (2015). *Lessons Learned from the Bunny Teacher.* Retrieved from http://bunnyteacher.blogspot.com/2015/02/ anger-is-poison-you-must-purge-it-from.html

Crea tu propia analogía de ira. ¿Cómo describirías tu enojo?

_____

_____

_____

_____

_____

LLAMADA DE ACCION: Esta semana, pregúntele a alguien de cuál de estas analogías se puede relacionar más.

Proverbios De Ira

Los siguientes son proverbios sobre la ira. ¿Con cuáles te puedes identificar?

1. El mayor remedio para la ira es el retraso. – desconocido

2. Si una cosa pequeña tiene el poder de enojarte, ¿eso no indica algo acerca de tu tamaño? - Syndey J. Harris

3. Donde hay ira, siempre hay dolor debajo. - Eckhart Tolle

4. Habla cuando estés enojado y harás el mejor discurso del que siempre te arrepentirás. - Ambrose Bierce

5. Aferrarse a la ira es como agarrar un carbón caliente con la intención de tirarlo a otra persona; tú eres el que se quema. - Buddha

6. Nunca respondas a una persona enojada con un regreso feroz, incluso si se lo merece... No permitas que su ira se convierta en tu ira. -Bohdi Sanders

7. La ira es una letra corta de peligro. - Eleanor Roosevelt (1884-1962)

8. - Por cada minuto que permaneces enojado, cedes sesenta segundos de tranquilidad. Ralph Waldo Emerson

9. La gente no tendrá tiempo para ti si siempre estás enojado o te quejas. - Stephen Hawking

10. Todo lo que comienza con enojo termina en vergüenza. - Benjamin Franklin

---

LLAMADA DE ACCION: Escribe tu propio proverbio sobre la ira y tráelo la próxima semana para compartir.

Recursos

Libros

Burns, D., M.D. (1990; 1999). *The Feeling Good Handbook*. The Penguin Group.

Cohen-Posey, K. (2000), *Brief Therapy Client Handouts*. Wiley Publishers.

Davis, M., Ph.D., Paleg, K., Ph.D. & Fanning, P. (2004). *The Messages Workbook*. New Harbinger Publications.

Eifert, G. H., Forsyth, J.P., Hayes, S.C., & McKay, M. (2006), *ACT on Life Not on Anger: The New Acceptance & Commitment Therapy Guide to Problem Anger*. New Harbinger Publications.

Greenberger , D., & Padesky, C. (1995). *Mind Over Mood: Change How You Feel by Changing the Way You Think*. The Guildford Press.

Johnson, S. L. (1997; 2004), *The Therapist's Guide to Clinical Intervention: The 123's of Treatment Planning*. Academic Press, San Diego.

Mellody, P., & Freundlich, L.S., (2003). *The Intimacy Factor: The Ground Rules for Overcoming the Obstacles to Truth, Respect, and Lasting Love*. HarperSanFrancisco.

Potter, R.T., MSW, PhD. (2005), *Handbook of Anger Management: Individual, Couple, Family, and Group Approaches*. The Haworth Clinical Practice Press; The Haworth Reference Press; and imprints of The Haworth Press, Inc.

Schiraldi, G. R., Ph.D., & Kerr, M.H., Ph.D. (2002). *The Anger Management Sourcebook*. McGraw Hill.

Artículos Periodísticos

Ellis, A. (1991). The revised ABC's of rational-emotive therapy (RET), *Journal of Rational-Emotive and Cognitive-Behavior Therapy*, Volume 9, Number 3, Page 139.

Pickering, M., Communication in explorations, *A Journal of Research of the University of Maine,* Vol. 3, No. 1, Fall 1986, pp 16-19.

Smith, P. N., & Ziegler, D. J. (2004) Anger and the ABC model underlying Rational-Emotive Therapy, *Psychological Reports*, Vol. 94, pp. 1009-1014.

Blogs y Recursos de Web

Active Listening Skills. AGING I&R/A TIPS. *Tip Sheet 1*. National Aging Information & Referral Support Center.
http://www.nasuad.org/documentation/I_R/ActiveListening.pdf

Mills, H., Ph.D., *Physiology of Anger*.
http://www.mhcinc.org/poc/view_doc.php?type=doc&id=5805&cn=116

Osho. *Ego - The False Center*. Beyond the Frontier of the Mind.
http://deoxy.org/egofalse.htm

Sitios de Web

http://www.stopbullying.gov/at-risk/effects/#bullied

http://www.pacerkidsagainstbullying.org/wp-content/uploads/2014/07/bullying101tab.pdf

http://www.merriam-webster.com

Sobre Los Autores

Anita Avedian es una terapeuta matrimonial y familiar con licencia que ejerce en Sherman Oaks, Hollywood, Woodland Hills y Glendale, CA. Se graduó con su M.S. en psicología educativa y certificaciones en el programa de asistencia al empleado y recursos humanos de la Universidad Estatal de California en Northridge. Sus especialidades incluyen trabajar con relaciones, ira, ansiedad y adicciones. Anita Avedian es la directora de Anger Management 818, con nueve ubicaciones, que atiende a personas auto dirigidas y ordenadas por el tribunal que buscan ayuda con su agresión.

Anita es la autora del libro original de Anger Management Essentials. Con más de 50 planes de lecciones, este libro ha sido traducido al español, hebreo y armenio. Se utiliza en la capacitación para la certificación de Anger Management Essentials, aprobada por la National Anger Management Association (NAMA). La Sra. Avedian es una especialista certificada en el manejo de la ira IV, un miembro diplomático de NAMA, un capacitador autorizado de NAMA y un supervisor de manejo de la ira, que certifica a especialistas en el manejo de la ira.

La Sra. Avedian también está muy involucrada en la comunidad profesional. Es la fundadora de Toastmasters para profesionales de la salud mental y cofundadora de la Asociación de Proveedores de Manejo de la Ira de California, actualmente el capítulo de California de NAMA.

Ingrid Caswell es una especialista certificada en manejo de la ira III y una terapeuta matrimonial y familiar en Beverly Hills, CA. Tiene una maestría en psicología clínica de Antioch University Los Angeles. Su enfoque de tratamiento en la práctica privada es el trauma y la recuperación de la codependencia para adultos, niños, parejas y familias. La Sra. Caswell facilita los grupos de manejo de la ira y trabaja individualmente como asesora ejecutiva de manejo de la ira para clientes voluntarios y ordenados por el tribunal. Es miembro de la National Anger Management Association y es miembro de la junta directiva de la California Association of Anger Management Providers. La Sra. Caswell es coautora y editora del libro de ejercicios original de Anger Management Essentials, el recurso fundamental utilizado en la capacitación de certificación de Anger Management Essentials. Ella es también un miembro de fundadores de toastmasters para profesionales de la salud mental, donde practica su pasión por hablar en público.

Made in the USA
Coppell, TX
26 September 2021

63054975R00044